Katarzyna Małkowska

Legenda o Głowach Wawelskich

The Legend of the Wawel Heads

Die Sage von den Wawelköpfen

Ilustracje: Stanisław Dzięcioł
Tłumaczenie: Robin Gill, Tadeusz Zatorski

Tak jak dziś, tak i przed wieloma wiekami krakowskie Sukiennice tętniły życiem. Kupców tam było bez liku i towarów przeróżnych dostatek. Każdy, kto kramy te odwiedzał, nabyć mógł garnki, sukna cenne, wyroby jubilerskie i co tylko wymarzyć sobie zdołał. Największym powodzeniem cieszyły się ozdoby wszelakie. Mieszczki z radością i błyskiem w oku oglądały sznury paciorków i kupowały koraliki. Panowie zaś gustowali w pasach zdobionych suto koralami i złotymi nićmi wyszywanych. Trzeba wam bowiem wiedzieć, że natenczas każdy szanujący się mieszczanin i szlachcic opasan się nosił, a im pas dłuższy, im bogatszy, tym bardziej o pozycji jego świadczył.

Just as today, so for many centuries Kraków's Sukiennice has pulsed with life. There were countless merchants, and goods beyond measure. Everyone who visited those stalls could buy pots of all kinds, cloths of great value, jewellery and anything they could dream of. Most popular, however, were all kinds of ornaments. The townswomen with joy and a glint in their eyes searched through the strings of beads and bought those they most liked. The gentlemen, on the other hand, relished the sashes ornamented with many beads and sewn with golden threads. You should know that at that time every self-respecting burgher and nobleman wore a sash and the longer and costlier it was, the more it spoke of his position.

Die Krakauer Tuchhallen pulsierten wie heute so auch vor Jahrhunderten voller Leben. Unzählige Kaufleute boten allerlei Waren feil, so dass jeder, der die Kramläden besuchte, alles erstehen konnte, was ihm beliebte: Töpfe aller Art, prächtige Tuche, Schmuck und vieles anderes mehr. Der größten Beliebtheit erfreuten sich allerlei Schmucksachen. Bürgersfrauen bestaunten mit glänzenden Augen Glasperlenschnüre und kauften Korallenketten. Die Männer dagegen bevorzugten mit Korallen reich verzierte und goldgewirkte Gürtel. Ihr sollt nämlich wissen, dass damals jeder Bürger oder Adlige, der etwas auf sich hielt, sich prunkvoll gegürtet trug, wobei die Länge und der Reichtum des Gürtels vom dem Rang des Besitzers zeugten.

Miał też w krakowskich Sukiennicach kram swój pasamonik Błażej. Kupiec to był w całym Krakowie i całej ówczesnej Europie znany. Jego dzieła, pasy wszelakiego koloru i wzoru, tak pięknymi były, że nawet polscy królowie u Błażeja je zamawiali, pewni byli bowiem, że talentowi jego żaden inny nie dorówna. Cieszył się więc Błażej szacunkiem ogólnym i poważaniem wśród mieszkańców miasta, a kram jego zawsze oblegany był przez kupujących. Przychodziła także i biedota, by choć przez chwilę oko pięknymi pasami nacieszyć i pomarzyć o zdobnym stroju. Błażej chętnie dzieła swe pokazywał, jednak biednym dotykać ich nie pozwalał w obawie, by żaden z pasów nieumyślnie zniszczon nie został.

It was in Kraków's Sukiennice that the haberdasher Błażej had his own stall. This merchant was known all over Kraków, as well as the whole of Europe. His work, sashes of all colours and patterns, was so pretty that even Polish Kings ordered from Błażej, being certain that none could equal his talent. Thus, Błażej enjoyed the general respect and deference of the townspeople, and his stall was always besieged by buyers. The poor also came to feast their eyes on the beautiful sashes, if only for a moment, and dream of such ornate costumes. Błażej readily displayed his wares, but he would not allow the poor to touch them, in case any of the sashes were accidentally damaged.

In den Krakauer Tuchhallen hatte auch ein Gürtelmacher namens Blasius seinen Kramladen. Er war ein nicht nur in ganz Krakau, sondern auch in ganz Europa bekannter Handwerker. Seine Erzeugnisse, Gürtel aller Farben und Muster, waren so schön, dass selbst polnische Könige sie bei Blasius bestellten, denn sie wussten mit Sicherheit, dass kein anderer ihm an Talent und Können ebenbürtig war. So genoss Blasius allgemeine Hochachtung unter den Krakauern Bürgern und um seinen Kramladen drängte sich immer eine Schar von Käufern. Es kamen auch Arme, um sich zumindest an dem Anblick schöner Gürtel satt zu sehen und sich Träumen von einer reichen Tracht hinzugeben. Blasius zeigte seine Erzeugnisse gern, doch er ließ die Armen keine Gürtel berühren, denn er fürchtete, dass jemand auch unabsichtlich einen beschädigen könnte.

Gdy handlowy nastał wtorek, wielu ludzi w Sukiennicach się zgromadziło. Największy tłum oblegał jak zwykle Błażejowe wyroby. Właśnie rajca miejski pas przymierzał, z zielonego sukna, złotem i czerwienią wyszywany. Zachwalał Błażej dzieło rąk swoich, ale czynić tego wcale nie trzeba było, gdyż robota najprzedniejszą była. Naraz spostrzegł pasamonik, że wśród wystawionych przez niego pasów brakuje najcenniejszego, który dla samego króla był szykowany. Podniósł tedy lament wielki: „Złodzieja łapać, złodzieja, który pas królewski uprowadził" – wykrzyknął i łzy rzęsiste po policzkach mu spłynęły. „Sukno białe, atłasowe, drogie kamienie, a i ryngraf z orłem w koronie! Jakże straty pokryję, gdzie materiał taki znajdę?"

When market day came on Tuesday, many people gathered in the Sukiennice. The largest crowd, as usual, was besieging Błażej's stall. As it happened, one of the city councillors was trying a sash of green cloth, sewn with red and gold. Błażej praised his own work, but this was completely unnecessary as the sash was of the highest quality. Then the haberdasher saw that among his goods on display the most valuable, sewn for the King himself, was missing. He then let out a great cry: "Catch the thief, the thief who has stolen the Royal sash!", he cried and tears flowed liberally down his cheeks. "Cloth of white satin, precious stones, and a brooch with an eagle wearing a crown! How on Earth can I recover my costs, where will I find such material?"

An einem Markttag waren die Tuchhallen wie gewöhnlich voll von Menschen. Die dichteste Menschenmenge umgab wie immer den Kramladen von Blasius. Ein Stadtrat probierte gerade einen grünen, rot- und goldgewirkten Gürtel. Blasius pries dies Werk seiner Hände an, was er auch ruhig hätte unterlassen können, denn jeder sah, wie wertvoll seine Erzeugnisse waren. Plötzlich merkte der Handwerker, dass unter den von ihm ausgelegten Gürteln gerade der wertvollste fehlte, der für den König selbst bestimmt war. Er erhob ein lautes Geschrei: „Haltet den Dieb, der den königlichen Gürtel gestohlen hat", rief er unter heißen Tränen. „Weißes Atlastuch, Edelsteine und das Wappenbild mit Adler in der Krone! Wer macht mir den Verlust wieder gut? Wo finde ich wieder einen solchen Stoff?"

Zaraz też zerwali się zwykli gapie i kupcy ze straganów okolicznych, by złodzieja szukać. Sam Błażej nagrodę w postaci srebrnych dukatów obiecał temu, kto pas nietknięty mu zwróci. Oj, niełatwo było poszukiwania prowadzić, bowiem poruszony kradzieżą tłum biegał po Sukiennicach. Co chwilę też słychać było lamentujące nad stratą kobiety i krzyki mężczyzn. Naraz ciżba ludzi rozstąpiła się i Błażej spostrzegł, że kilku kupców prowadzi ubogą wdowę – Ofkę. Ale co to? Jeden z nich i pas królewski niesie. „Szlachetny Błażeju, tę oto biedaczkę znaleźliśmy u bram Kościoła Mariackiego, a przy niej dzieło twe piękne. Niechybnie złodziejką jest" – rzekł Piotr, który suknami handlował, przekazując wystraszoną kobietę w ręce pasamonika.

Immediately, the onlookers and merchants from neighbouring stalls broke away to seek the thief. Błażej himself announced a reward in the form of silver ducats for the one who returned the sash unharmed. Woe! Difficult was the search, as the crowd, swayed by the theft, was running all through the Sukiennice. At each moment could be heard the wails of women and the screams of men bemoaning the loss. Suddenly the throng of people parted and Błażej saw that several of the merchants were leading a poor widow – Ofka. But what was this? One of them was also carrying the royal sash. "Noble Błażej, this woman we found at the doors of the Mariacki church, and your beautiful piece was lying by her side". "She is the thief and no mistake!", said Piotr, who sold gowns, handing the terrified woman over into the hands of the haberdasher.

Da sprangen Gaffer und Kaufleute von den benachbarten Kramläden auf und wollten den Dieb verfolgen. Blasius versprach demjenigen, der ihm den unversehrten Gürtel zurückbringen würde, einen Beutel voll Dukaten als Lohn. Doch die Suche war alles andere als leicht, denn die Leute, durch den Diebstahl aufgebracht, liefen in den Tuchhallen ziellos hin und her. Von allen Seiten waren Schreie von Frauen und Männern zu hören, die über einen so großen Verlust klagten. Plötzlich trat die Menge auseinander und Blasius erblickte einige Kaufleute, die eine arme Witwe namens Ofka führten. Und seht! Einer von ihnen trug auch den königlichen Gürtel! „Edler Blasius, wir haben die Unselige am Eingang zur Marienkirche gefunden und bei ihr deinen schönen Gürtel. Sie ist zweifelsohne die Diebin!", sagte ein Tuchkaufmann mit dem Namen Peter und übergab die verängstigte Frau in die Hände des Gürtelmachers.

Oburzył się na zuchwałość wdowy rzemieślnik, nieraz przecież przychodziła do kramu jego, by pasy podziwiać, a on nie raz jeden biedną kobietę złotym dukatem poratował. Trzeba wam bowiem wiedzieć, że Ofkę i jej rodzinę liczne nieszczęścia dotknęły. Najpierw mąż jej, murarz, kamieniem ranion, padł bez życia, potem zaś córka najdroższa ciężko zachorowała. Chwytała się więc kobiecina każdej roboty. „Pewno pas mój sprzedać chciała kupcom zagranicznym – pomyślał Błażej – i w ten sposób niedoli swojej ulżyć. Mogła przecież o grosz wsparcia poprosić, a z dobrej woli bym jej pomógł. Tak za czyn jej haniebny kara wymierzona być musi. Do Trybunału Królewskiego!" – zawołał głośno pasamonik.

The craftsman was angered by the temerity of the widow, often she had come to his stall to admire the sashes, and often, too, he had aided the poor woman with a golden ducat. You should know that Ofka and her family had been touched by many misfortunes. First her husband, a builder, wounded by a stone, passed on, then her dearest daughter became terribly ill. So the woman took any job she could. "She probably wanted to sell my sash to a foreign trader – thought Błażej – and ease her adversity in this way." She could have asked for a penny for support, and I would gladly have given it to her. And so for her shameful act she must be punished. To the King's Tribunal with her!" – cried the haberdasher loudly.

Die Unverschämtheit der Witwe empörte den Handwerker. Sie kam doch oft in seinen Laden, um die Gürtel zu bewundern und er half ihr manchmal mit einem Goldstück aus der Not. Ihr sollt nämlich wissen, dass Ofka und ihre Familie viel durchgemacht hatten. Zuerst traf ein Stein ihren Mann, einen Maurer, so dass dieser auf der Stelle tot war. Dann erkrankte auch ihre Lieblingstochter schwer. So nahm das arme Weib jede ihr angebotene Arbeit an, um etwas Geld zu verdienen. „Sie wollte sicherlich den Gürtel an fremdländische Kaufleute verkaufen – dachte Blasius – und so ihre Not lindern. Und doch, hätte sie mich nur um Unterstützung gebeten! Ich hätte ihr ja aus freien Stücken geholfen. Und nun muss ihre Schandtat bestraft werden". Und laut rief er: „Sie gehört vor das Königliche Gericht!"

Tak więc Ofka zaprowadzona została przed oblicze sądu, któremu sam król Zygmunt August przewodniczył. Biedna wdowa z rozpaczą w głosie oznajmiła, że pas ów przy bramie Kościoła Mariackiego znalazła, jednak nikt słowom jej wiary dać nie chciał. Płakała więc Ofka i przysięgała na życie swej chorej córki, że prawdziwe są jej słowa. W końcu sam król zniecierpliwiony ruchem, jaki się w Sali Sądów zrobił, zawołał: „Chłosta, chłosta sroga, batów pięćdziesiąt, i to publicznie wymierzonych, powinno cię nauczyć, że ręki po cudze wyciągać nie wolno". Kara to była okrutna, a biedna kobieta znikąd pomocy spodziewać się nie mogła. Wzniosła więc głowę ku niebu, ratunku szukając.

And so Ofka was taken to face the court of which King Zygmunt August himself was the judge. The poor widow, with despair in her voice, declared that she had found the belt by the doors of the Mariacki church, but no one would believe her. And so Ofka cried and vowed on the life of her sick daughter that her words were the truth. Finally, the King, made impatient by the movement in the Courtroom, cried: "A flogging, a severe flogging, fifty lashes, and publicly, should teach you not to place your hands on others' property". The punishment was cruel, and the woman could expect no help from anyone. So she raised her eyes to heaven, searching for salvation.

Und so wurde Ofka vor das Gericht gebracht, dem König Sigismund August persönlich vorsaß. Die arme Witwe beteuerte verzweifelt, sie habe den Gürtel vor dem Eingang zur Marienkirche gefunden, doch keiner wollte ihren Worten Glauben schenken. Sie weinte bitterlich und schwor beim Leben ihrer Kinder, dass sie die Wahrheit sage. Doch der König, über den Tumult im Gerichtsaal verärgert, rief laut: „Prügel! Sie verdient wahrlich tüchtige Prügel, fünfzig Peitschenhiebe, und dazu noch öffentlich ausgeteilt – das soll sie lehren, dass man sich an fremdem Eigentum nicht vergreifen darf". Es war eine grausame Strafe und das arme Weib gab schon jegliche Hoffnung auf. Und so erhob sie nur die Augen, als ob sie den Himmel zum Zeugen anrufen wollte.

13

Sądy wówczas odbywały się w najpiękniejszej z sal Wawelskiego Zamku, zwanej Tronową. Sklepienie jej zdobione było w rzeźbione głowy, będące podobiznami mieszczan i szlachty. „Królu i panie, jeśli świadków mej niewinności nie ma i jeżeli przez waszą królewską mość sprawiedliwie nie mogę być osądzona, niech te wawelskie głowy przemówią za mną". Nagle w ciszy Sali Tronowej odezwał się głos donośny: „Rex Auguste, iudica iuste". Wyrok ten padł po łacinie, bowiem język ten był często w życiu publicznym używany. Co oznaczał, zapytacie? „Królu Auguście, rządź sprawiedliwie". „Kto to powiedział?" – zakrzyknął król, oburzony zuchwalstwem poddanego. Zaraz jednak, pomny na słowa skazanej, podniósł oczy ku sklepieniu komnaty. Ale co to? Jedna z głów porusza jeszcze ustami...

At that time, judgements took place in the most beautiful hall in Wawel Castle, known as the Throne Room. Its vaulted ceiling was ornamented with carved heads, showing the faces of townsmen and nobles. "My King and Lord, if there are no witnesses to my innocence, and if I cannot be judged justly by Your Royal Highness, then let these Wawel heads speak for me". Suddenly, in the quiet of the Throne Room there spoke a carrying voice: "Rex Auguste, iudica iuste". This sentence was spoken in Latin, as that language was often used in public life. What does it mean, you may ask? "King August, rule justly". "Who spoke thus?", cried the King, offended by the impertinence of one of his subjects. But then, remembering the words of the accused, he raised his eyes to the ceiling of the chamber. But what was this? One of the heads' mouths was still moving…

Gericht hielt man damals im prächtigsten Saal des Wawelschlosses, genannt Thronsaal. Dessen Decke war mit holzgeschnitzten Köpfen ausgeschmückt, für die Krakauer Bürger und Adlige Modell gestanden hatten. „O Majestät, wenn niemand meine Unschuld bezeugen will und nicht einmal mein König über mich ein gerechtes Urteil fällen kann, so mögen doch diese Wawelköpfe für mich sprechen". Im Thronsaal wurde es auf einmal still und in dieser Stille ließ sich deutlich eine laute Stimme vernehmen: „Rex Auguste, iudica iuste!" Die Sentenz wurde lateinisch ausgesprochen, da diese Sprache damals im öffentlichen Leben oft im Gebrauch war. „Aber was heißt das?", fragt ihr sicherlich. Es bedeutet: „König August, richte gerecht!" „Wer hat das gesagt?", rief der König, über die Dreistigkeit eines Untertanen empört. Doch sich auf die Worte der Angeklagten besinnend, sah er gleich zur Decke hinauf. Und ach! wie war er verwundert, als er merkte, dass einer der Köpfe noch die Lippen bewegte…

Król wstrząśnięty wydarzeniami, które w Sali Tronowej miejsce miały, kazał Ofkę na wolność wypuścić, a jako zadośćuczynienie podarował jej woreczek pełen srebrnych monet. Jakaż była radość biedaczki! Nie dosyć, że drogie medykamenty dla chorej córki nabyć mogła, to jeszcze obie najadły się do syta. Najjaśniejszy pan natomiast zamknął się w Sali Tronowej sam jeden i rozkazał, by pod żadnym pozorem nikt przeszkadzać mu nie śmiał. Myślał i myślał, co by tutaj z gadającą głową zrobić. Nie godzi się przecież, by królewskie sądy podważała. Wreszcie drzwi komnaty odryglował i zawołał na sługę swego: „Opaskę z tkaniny podać mi czym prędzej". Gdy już kawałek sukna w ręku dzierżył, rzekł: „Teraz, głowo, usta twe pozostaną związane, byś nauczkę miała, że królewskiego zdania nie podważa się".

The King, shaken by the events which had taken place in the Throne Room, ordered Ofka to be set free, and as compensation gifted her with a pouch full of silver coins. How great was the poor woman's joy! Not only could she purchase expensive medicaments for her sick daughter, but they could eat their fill as well. His Royal Highness, however, locked himself alone in the Throne room and ordered that no one should dare interrupt him. He thought and thought about what could be done with this talking head. He could not, after all, allow royal decisions to be undermined. Finally he unbolted the doors of the chamber and called his servant: "Get me a strip of cloth as quick as you can". When he had the cloth in his hand, he proclaimed: "Now, head, you will be gagged so that you learn that royal judgements may not be subverted".

Durch den Vorfall im Thronsaal tief erschüttert, ließ der König die Ofka sofort befreien und zur Genugtuung schenkte er ihr einen Geldbeutel voll silberner Taler. Wie groß war die Freude der Armen! Sie konnte nicht nur teure Arzneien für ihre Tochter kaufen, sondern beide aßen sich auch endlich satt. Seine königliche Hoheit sperrte sich dann aber im Thronsaal ein und befahl, dass er von niemand und unter keinem Vorwand gestört werde. Er dachte und dachte, was mit dem redenden Kopf zu tun wäre. Es schickte sich doch nicht, dass dieser königliche Urteile in Frage stellte. Endlich riss er die Tür des Saales auf und rief einen Diener: „Gebt mir ein Leinenband, aber sofort!" Als er schon eines in der Hand hielt, wandte er sich an den Kopf: „Nun bleibt dein Mund für immer verbunden, was dir zur Lehre gereichen soll, dass man königliche Urteile nicht anfechten darf".

Odwiedzając dziś komnaty wawelskie, zwróćcie uwagę na Salę Poselską. Sufit jej ozdobiony jest niezwykle. W drewnianych kasetonach, zamiast tradycyjnych ozdób, wiszą rzeźbione głowy. Wykonane zostały one w XVI wieku przez artystów-rzemieślników. Dawniej było ich aż 194, lecz czasy wojen przetrwało jedynie 30. Jeśli się uważnie przyjrzycie, dostrzeżecie na sklepieniu także tę głowę, której usta są związane. Jest to ta sama głowa, która słowem swoim biedną Ofkę od chłosty uratowała. Ponoć w sali tej zawsze prawdę mówić należy, bowiem ten, kto na drugiego kłamstwo poświadcza, naraża się na to, że głowa zrzuci knebel i po raz kolejny o prawdzie zaświadczy.

Today, when you visit Wawel's chambers, pay attention to the Audience Hall. Its ceiling is unusually ornamented. From the wooden cornices, instead of traditional ornaments, there hang carved heads. They were made in the 16th century by master craftsmen. In olden days, there were 194, but only 30 survived the war. If you look carefully, you'll see on the ceiling a head whose mouth is tied. This is the same head whose words saved poor Ofka from a flogging. It seems that you must always speak the truth in this room, because he who tells a second falsehood must know that the head will throw down its gag and once again bear witness to the truth.

Wenn ihr heute die Gemächer des Wawelschlosses besucht, schenkt dem Gesandtensaal euere besondere Aufmerksamkeit. Dessen Decke wird mit einer ungewöhnlichen Dekoration euer Erstaunen erregen: In hölzernen Kästchen sind statt einfacher Verzierungen geschnitzte Köpfe angebracht. Sie wurden im 16. Jahrhundert von Kunsthandwerkern gefertigt. Einst gab es ihrer 194, doch nur 30 haben sich über die Zeit erhalten. Und wer sie sich aufmerksam ansieht, nimmt auch einen mit verbundenem Mund wahr. Es ist derselbe, der damals Ofka vor den Prügeln gerettet hat. Man sagt, dass man in diesem Saal nur Wahres sagen soll, denn wer dort lügt, läuft Gefahr, dass der Kopf sich des Knebels entledigt und noch ein Mal die Wahrheit bezeugt.

© Wydawnictwo Astra

31-026 Kraków, ul. Radziwiłłowska 35/5
tel. (012) 292 07 30, tel./fax (012) 292 07 31
0602 747 012, 0602 256 638
www.astra.krakow.pl

ISBN 83-89981-05-X